eduard kloter / mit den menschen sein

Mit neun Holzschnitten
von Robert Wyss, Adligenswil bei Luzern,
und einem Nachwort
von Alphons Hämmerle

im Cantina-Verlag, CH-6410 Goldau, Mythenstrasse 20
Buchgestaltung: Robert Wyss
Herstellung: Buchdruckerei Schüpfheim AG,
CH-6170 Schüpfheim LU

ISBN 3-85714-011-9

eduard kloter

mit den menschen sein

texte eines ikrk-arztes

cantina-verlag goldau

meiner familie

MACHT DER OHNMACHT

das wort nur
stemmt sich
gegen gewehre
und macht,

hilft ertragen tortur,
die schwere der trennung,
wenig licht
in der nacht.

das wort,
nur mein wort,
steht,
oft allein.

ich staun'
ob der kraft.
nur das wort
gegen schmerzen und pein.

vietnam 1966/67

BIEN HÔA

die schüsse des vietcong
trafen daneben.
nun landen wir,
die hand am abzug
und den fuss ausser der tür.
der heli sinkt spiralig,
ängstlich auf ein feld,
die spannung weicht:
es sind des captains eigne leute.
er knetet wieder
seinen gummi durch die zähne
und grinst,
als wär der tod,
den wir noch eben im vorbeiflug schauten,
nie mehr nah.

auch er verdrängt ihn nur
beim anblick der zerfetzten leiber
im aufgeblasenen zelt
und im gefängnis,
wo die feinde hocken
und auf ein urteil warten,
das es gar nie gibt.
hier sieht er erstmals
das weiss im auge seines gegners,
den er mit technik
auf distanz sonst töten will.

es sterben hunderte am gleichen tag.
ich operiere im spital
und begleite einen mann hinüber,
der nicht meine sprache spricht:
nur meine augen
und die wärme meiner hände sind mit ihm.
ein mensch, der fern den seinen
nun den eignen tod erlebt,
an einem ort,
den du auch kennst.
denn dieser krieg
findet in deiner stube statt.

was denkst du lächelnd,
wenn du «papageienschnabel» hörst,
was sagt dir «eisern dreieck»?
die welt sieht zu aus dem proszenium,
und auf der bühne
wird verendet und gestorben.
ich frage:
wieviel menschen wissen um die einsamkeit,
den terror, die vernichtung, folter, tod?
wir alle suchen nur das eigne brot.

«DÉTENUS POLITIQUES»
camp pleiku

sie liegen auf pritschen
   und drunter

im hof warten die andern
   auf platz

sie spüren mit fragenden augen
   mein wollen

erspüren mein herz
   und hören den kalten verstand

DIE EHRE

sie rollen mir den roten teppich
sie präsentieren gewehre
sie behandeln mich wie dreck
sie geben mir alle ehre

in der hütte ist mir wohl
bei der geburt eines farbigen menschen
auch hinter barrikaden
ich operiere in des consuls salon
und wische die tränen der mutter ab
im unbill des kampfes im libanon
ich drücke die hand des ministers
und messe den argwohn des generals
ich stehe vor blutigen pritschen
beurteile die grösse des mals
von torturen, schändung und pein

sie behandeln mich mit liebe
sie bewerfen mich mit dreck
alle die's tun sind menschen
menschen dieser erde

liegt irgendwo ein zweck

südamerika 1971–77

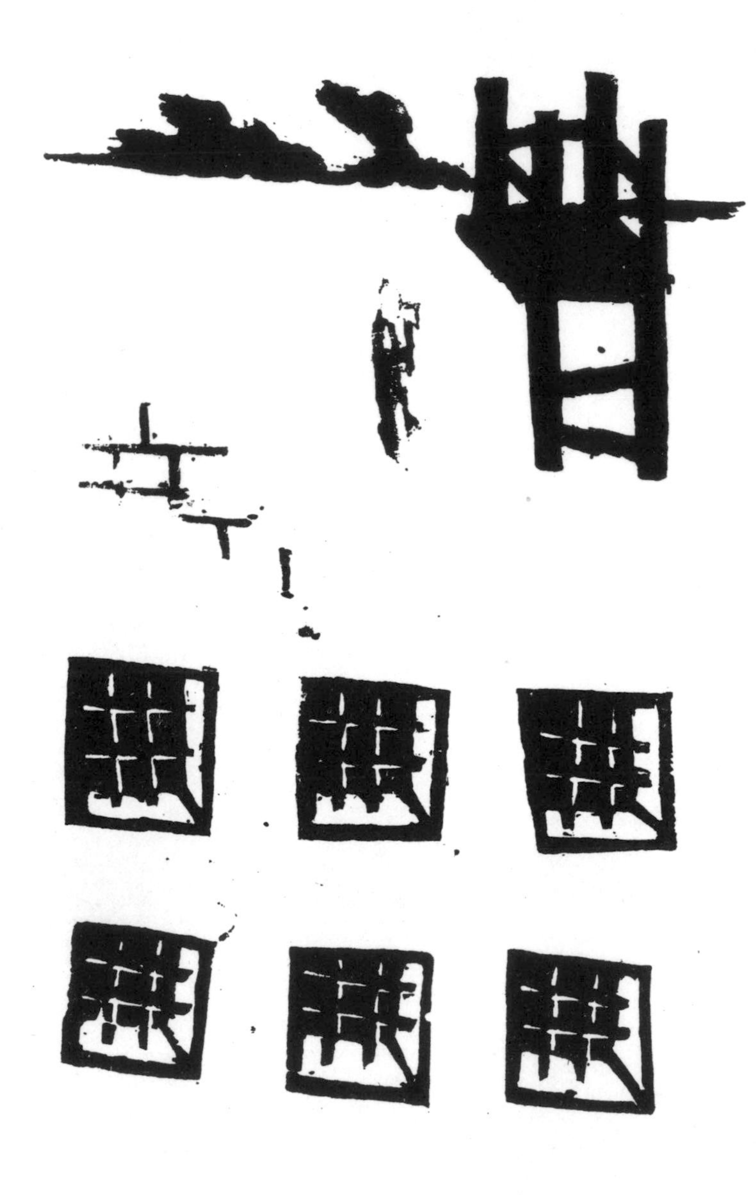

«IRRECUPERABLE»

die gitter
klirren

von wärtern geöffnet
geschlossen

ich schreite hindurch
gehemmt

spreche gehemmt
zu frauen und kindern

ihr auge voll wehmut
voll trauer

und hass
gegen diese gesellschaft

die sie «irrecuperables»
unwiderruflich verlorene nennt

TRÄNEN?

warum darf ich nur trockne tränen weinen,
die man nicht sieht,
wenn ich die wunden pflege,
die menschen schlugen
mit granaten, peinigung und zwang,
mit isolation?

der magen würgt,
es krampft mein herz.
nach einem unbemerkten leeren schlucken
kommt die grosse ruhe,
ein unverbindlich lächeln
lässt das wort mich finden,
das wenigstens das elend mildern soll,

denn wut und hass,
sie wären schlechte partner
in einem kampf ums überleben,
wo nur stahl und härte
währung sind.

«EN LUGARES DE DETENCIÓN»

du möchtest
die welt ganz anders sehen
und willst, dass sie nach deinem bilde sei,
doch die das ruder halten, wollen nicht
und sie sind stark.
wer einmal macht hat, hat auch recht,
(er nimmt's auf seine seite),
er hat helfer und soldaten.

wer kann dir raten?

du denkst und sprichst
und wagst zuviel,
wirst denunziert, verraten.
vielleicht hast du zu gute freunde,
bist du zu arm, zu reich.
sie holen, isolieren dich,
sie schlagen dich zusammen,
sie wollen wissen, wer das sei,

ob du in der partei?

ich sehe dich
zum erstenmal nach der tortur,
besuch' dich im verliess –
du siehst in mir die welt –
du weisst nicht,
wo du bist,
kennst kaum die zeit
und fragst mich, wo die deinen sind.

du wirst blind.

du vegetierst,
denkst nur ans überleben
aus der verlassenheit,
in die sie dich gebracht.
und erstmals wieder spürst du eine hand,
die einfach mensch dir ist,
nicht feind.
du bist nicht mehr allein,

sie hilft dir sein.

du gehst den weg der unperson,
die sie aus dir gemacht,
zurück zum menschen.
es kommt für jede mauer
doch der tag, an dem sie stürzt.
dann wärmt dich wieder eine sonne,
ob nun die welt
nach deinem oder ihrem muster sei.

wir wollen dich dabei.

LA UNIVERSIDAD Y EL ESTADIO

emsig studieren
die noch verblieben
in halbleeren sälen
im campo von concepción.

die andern
erharren ihr schicksal
im stadion
eingangs der stadt.

sie sprechen alle auf einmal,
durchbohren mit blicken
und worten und gesten
mein herz

und zeigen das brennmal,
das blut unterm nagel.
sie sprechen von jenen,
die nicht mehr sind.

sie stehn auf der rampe –
applaus umjubelte hier einst die sieger –
und liegen blutleer im sägemehl
in camerones darunter.

den siegerkranz
tragen andere heute.
sie stehen im wartsaal der angst
und des todes.

ihr rektor –
sein sohn ist verhaftet –
grübelt in dawson,
ein vip unter vielen.

die welt weiss den namen.
ich hab ihn gesprochen,
man wird nicht wagen,
ein leid ihm zu tun.

doch hält wohl mein schirm
für die vielen,
die niemand kennt, ausser uns?

wir dürfen nicht ruhn!

ROSARIO

mit 120 flitzen delegados
über die regennasse P 8
nach rosario durch die argentinische pampa.

gwundrig drehen girasoles die köpfe
nach den menschen,
die feinde besuchen,

detenidos in ihrer not,
subversivos mit zeit ohne ende,
ohne wort und zeichen der ihren,

ohne sonne, ohne beistand.
nicht alle sind schuldlos, wie sie sagen,
doch viele erdulden nicht eigenes leid.

können wir helfen,
die angst zu nehmen ihren bewachern,
den menschen in ihnen zu sehen,

sie zu werten «de hombre a hombre»,
wie sich's gehört
auch unter feinden?

«¡OIDA DETENIDO!»

sei still,
klage nicht,
jede tortur wird enden.
für jeden menschen
gibt es licht,
irgendwo, irgendwann.
auch dein geschick
wird sich wenden.

dann denk daran,
wie dir war.
bleib im blick
auf die zeit
deiner einsamkeit.
sieh dann klar,
halt du an,
du bist dran.

«FUSILLADAS FALSAS»

plötzlich
hast du keine freiheit mehr,
die andern
bestimmen deinen weg
und wollen dinge von dir wissen,
die du nicht kennst
und nennen taten dir,
von denen du nichts weisst.

erst ist es dunkel,
hart das lager,
rauh der ton,
der griff tut weh.
dann kommt die angst,
zusammen mit den schlägen,
der paloma, dem elektroschock,
dem hunger.

du schläfst nicht mehr.
wenn du könntest, lassen sie dich nicht.
du spürst den schrei der andern,
ahnst des freundes schmerz,
pflegst deine wunden,
während sie schon neue schlagen.
sie tun gewalt an deiner frau,
du hörst, wie sie den compañero töten,

wahrscheinlich echt
und vielleicht nur zum schein
und du versinkst
in angst und pein
und schliesslich bist und glaubst du
was zu sagen
und du bist

ganz nach ihrem sinn.

«DETENIDA»

sie hat nicht mich gemeint,
als ihre hände,
sachte streichelnd,
meinen arm liebkosten.
als feucht ihr auge
meinen blick erwiderte, sah sie in mir den mann,
ihren geliebten.
lebt er noch?

wie manchen monat schon
war jeder mann nur feind.
und doch . . .

«EL CARCEL»

wenn sie mit blossen händen
die kloake säuberten,
müsste niemand
im gestank ersticken

und kein sauersüsser duft
würde das bild
des tigerkäfigs, der manege,
mir vor augen führen.

das nasse sägmehl mildert den geruch,
doch nicht die penetranz,
wenn menschen menschen
wie tiere behandeln.

nach dem besuch wird reinlichkeit devise sein.
ob sich das klima ändert mit dem glanz
im menschenkäfig dieser stadt,
die ihren namen von den engeln hat?
. . . los angeles?

POBLACION DESPUES DEL GOLPE

sie lacht den priester an.
ja, weiss sie, wer wir sind?
sie zeigt uns herzhaft ihre freude,
auch wenn ihr mann verschwunden ist,
sie lebt nur noch fürs kind.
unsre hand ist nahrung, hoffnung.
ein dina-helikopter brummt,
tres alamos ist weit, fern von der poblacion.
der schrei des vaters ist verstummt,
vielleicht für immer.

die kinder löffeln ihre suppe,
verdickt und angereichert durch ein komitee.
sie wissen nichts von preis und lohn,
sie wissen nichts von inflation,
sie freuen sich am vollen magen
und haben pulvermilch im tee,
sie haben keinen kummer.
wer hier sich sehen lässt, steht in verdacht.
verdacht heisst tod, folter zuvor,
heisst schwarze limousine ohne nummer.

wen die geburt in diese hütten brachte,
der bleibt gefangen,
und wer den weg in eine zukunft sucht,
muss bangen,
ihm bleibt nur flucht als hoffnungsschimmer.
denn bei den andern gelten andere gesetze.
verzweifelt frag' ich
und ich hör nur immer:
«todo listo, perfecto, alles hetze,
no hai problemas».

ZWISCHENVERHÖR

schweiss und blut vermengen sich,
lästig sirrt eine fliege,
nippt an klebriger kruste.
du möchtest ihr wehren.

einzig vertraute,
nur mit ihr
kannst du reden ohne angst,
hier, wo die mauern hören.

tausendfach sieht dich ihr auge,
staunt und schweigt.
sie putzt die flügel.
ob sie dir glaubt

bei allem, was die menschen lügen,
bei allem, was du selber sagst
unter der folter,
im schmerz, der deine sinne bricht?

und dabei dachtest du,
wie stark du wärst.
die wahrheit weiss ich nicht,
nur du und deine fliege kennen sie

und gott allein.

«NO HAI PROBLEMAS»

nur fragende augen
und klagendes schweigen,
nicht ein wort.
du kannst die stille
mit dem messer schneiden,
kalt und eisig hart.
sie müssten viel riskieren,
wenn sie ohne zeugen redeten.

sie sprechen nicht.
die blicke,
bei verschränkten armen
und gepresstem mund,

lassen ahnung nun gewissheit sein.

NACHDENKLICH

nachdenklich bin ich geworden,
ich denke «hinten nach»,
denke voraus,
ich denke hier und jetzt,
in heutiger befindlichkeit,
ich denke durch mein leben:

temucos mauern hören noch nerudas worte
und den terror einer junta militar.
im chin-chin schnitzen detenidos holz,
sie träumen vom «fantastischen velero»
und suchen in der zelle einen hellen punkt,
um das licht nie zu vergessen.

das wasser im mapucho
küsst den slogan an der mauer,
worte einer neuen welt
und schwemmt die leiche eines compañero weg.
nachts helf ich ein kind gebären
und am tage schneide ich ins fleisch
und die seele meiner patienten,
und ich seh im traum die frau,
die gewaltsam sich ein andrer nahm,
als ich vor gewehren stand
und die mutter tröstete,
die ihren sohn unter tortur verlor.

manchmal brennts mich auf den nägeln,
wenn ich an das blut
unter den nägeln denke,
das den schrei
und das bekenntnis einer tat erbrachte,
die es gar nie gab.

herrgott, zeige mir den weg
durch diese welt!
die zeit ist fern,
da ich ihn zu kennen glaubte.
immer such ich diesen weg.
finde ich ihn dort, wo menschen sind?

ENTTÄUSCHUNG

aus enttäuschung
wird verbitterung,
gar blanke wut,

zum schluss
bleibt traurigkeit,

vereint
mit neuem wollen,
neuem mut

und hoffnung
auf den wandel in der zeit.

«EL GOLPE DEL ONCE»

ob indios, fueginos, incas,
ob araucanos, onus oder weiss,
alle wollen leben, fern der wüste,
in chiles weiten oder bergen.
sie wollen alle leben, wie wir andern,
ohne hass und elend, schüsse, leichen.

warum kann macht nur glücklich machen
mit gewehren?
warum ein mensch nicht ohne farbe sein?

STRANGER

vielen mag ich vorgekommen sein,
wie ein «stranger in the night»,
der geholfen hat,
die einsamkeit zu überwinden
und das leid,
der momente nur der liebe brachte,
eine hoffnung,
die zum teil nur in erfüllung ging,
gruss und brief, verstehen,
das mildern, stoppen der tortur,
das heilen einer wunde.

ein warmer händedruck,
das feuchte glänzen schöner augen
voller glauben
war mir entgelt.
wie wenig nur, um wirklich mensch zu sein,

ein mensch zu zweit
in macht und ohnmacht unsrer zeit.

UNSERE WELT

weisst du,
wieviel silber noch
im sucre steckt,
wieviel zinn
oruro hat,
ob am illampu
einer noch nach wolfram gräbt?
du willst es wohl nicht wissen.

solange noch dein sohn
mit bleisoldaten spielt
und dein auto
seine hundert sachen fährt,
wird die welt doch nicht
zu ende sein.

was bedeutet schon
ein ausgehöhlter berg,
die ölpest in den flügeln zweier kormorane,
vielleicht kommt die sintflut nicht,
nur die leere
all der milliarden jahre
und die hand des kindes,
das nach wurzeln sucht.

libanon 1975/79

DAS KLEID AUS TAL SATAR

die hübsche «nichte arafats»
schlingt sich das tuch um schlanke hüften
– ich kauf es als erinnerung,
zuhause soll es die geliebte schmücken –
ob ihrer schlanken formen prickelt meine haut.

ich sinn' verträumt.
das gespräch beim iman
lässt noch warten.
die handgranate schreckt mich auf,
sie bringt die wirklichkeit zurück:

spital, moschee und hütten in tal satar
sind zerschossen.
der webstuhl dieses tuches
und die junge frau, die farben applizierte,
liegen unterm schutt.

noch seh' ich ihre feinen hände,
den glanz in ihren augen,
denselben glanz, der meine frau
begehrbar macht,
wenn sie nun dieses kleid am abend trägt.

es mischen freude sich am werk
und trauer
mit freude wieder,
fein gewebt im tuch des lebens,
der vergänglichkeit, des seins.

PLACE DES CANONS
beirut

vom serail
zur kanone
nach hause
wohin?

zum beyap hinaus
saika-gestoppt
in den strassen
den dunkeln
von männern
aus tuch
mit löchern
statt augen
und hartem metall
in den händen
und angst
in den herzen
wie wir

ob saikas
ob christen
und moslem
die menschen
in lagern
alle
bangen
um frieden
wie wir

wir bringen ihn nicht
wir bringen
nur mittel
zu mildern die schmerzen
zu lindern die pein
die wunden zu laben
die weiter sich schlagen
verblendete menschen
aus innerem zwang

wir knüpfen
auch fäden
verteilen
die ware
die flieger uns bringen
wie manna
von fern
bestücken spitäler
und bauen
in zelten
die räume
wo schmerz
vermählt ist
mit leid

wir kennen
sie alle
die grossen
die macht wohl haben
und doch nicht die kraft
zu enden das übel
wir stehen
dazwischen
mit gram
in den herzen
und können
nichts ändern

so tun wir
nur eines:
wir halten
die fahne
ob halbmond
ob kreuz
und helfen
das schicksal
tragen
den einen
den andern
wohl allen
die weinen
als menschen
der erde
wie wir

STAND-BY IM LIBANON

beirut,
wieder darfst du
deine frauen zeigen:
es tönt
und überquillt die hamra
heute,
wie in deinen besten jahren.

terror in haifa
ruft die bomben
in das lager.
in tyr und nabatíye weinen mütter
um ihr kind.
granaten nahmen haus
und leben,
nach altem rhythmus,
zahn um zahn.
die erde färbt sich rot,
am golan gestern,
morgen in el fatah-land,
vom selben blut,
das alle einst verband.

in beirut
platzt das leben
aus den nähten –
in aufgestauten raten.
wir stocken plasma auf,
trinken kaffee
und warten.

dann fällt der schuss,
wir wussten, dass er fallen musste.
kam er aus maronitischem gewehr?
nun sind es syrische granaten.
die stadt ist tot,
die hamra wieder leer.
der mond des libanon weint purpurn,
glänzend, wie das blut am pflaster.

– ein vogel ruft im garten.

FUNKSCHATTEN
tyr – beirut

«tyr, tyr, – de voiture, can you read?»
versenkt liegen schiffe im hafen,
meterhoch rollen wellen darüber.
der posten am check-point am litani-fluss
winkt fröstelnd mir zu,
dann entlässt mich der funk aus der pflicht,
ich rase allein durch die nacht,
am heck nur, beleuchtet, die fahne im fahrtwind
– vor jahren schoss man auf halbmond und kreuz –
sie ist mir rückgrat
und hoffnung im licht.

zwölf stunden noch wert
ist das leben der geiseln,
sie ahnen es kaum.
ihr leben ist ware im tausch,
ist macht.
wo bleibt uns noch raum
zum handeln, um arzt zu sein?
ich fahr nur als mensch um die zeit,
um ihr leben,
ich fahr wie im traum
durch damour, zerschossen und leer,
mehr kann ich nicht geben,
ich fahre allein.

ein lastwagen blendet,
ein hund liegt zerfahren am rand.
ich schalt kanal eins,
sie haben mich wieder.
die stunden verrannen wie sand.
«beyrouth, beyrouth – de voiture . . .»
der syrische posten grüsst freundlich,
bald ist es erreicht.
was soll mein blatt in der hand?
der spuk ist vorüber.
nun leben sie weiter, vielleicht . . .

«FRIEDEN FÜR GALILÄA»

von ferne nur
hör ich sie töten.
was soll die wut,
wo meine hilfe nötig wär?
wieviele häuser stehen noch in tyr,
wieviele menschen sind im schutt begraben?

sie stürmen
und sie rücken vor,
nach haabda,
camp el shatila,
doch sage mir,
was sie gewonnen haben.

EIN HELD

der held
aus feigheit
oft nur
flüchtet er
nach vorn

der druck
der ohnmacht
macht ihn stark
im augenblick
der angst

der held
ein mensch
um den du bangst

mauretanien 1978

SAND

sand
sand
trockner sand
nichts als sand
wellig
dünig
wandernd

helle menschen
dunkle menschen
wandern
hin zur stadt
abgefressen
die euphorbie
ausgeblutet
dürr und matt
wie die menschen
fern der landschaft
die sie hergegeben hat
dürre
trockenheit
und sonne

sand
sand
roter sand
nichts als sand
wellig
dünig
wandernd

patchwork-hütten
patchwork-zelte
patchwork-zäune
noch und noch
wasser
wasser in der ziege
im kanister
in der leitung
für zehntausend
junge bäume
tod dazwischen
hungern
darben
sand dazwischen
unrat auch

sand
sand
trockner sand
nichts als sand
wellig
dünig
wandernd

krankheit
schönheit
eleganz
farbentücher
windzerweht
kinderaugenglanz
dann die sonne
silhouetten
dunkle sitzgestalt
flucht der menschen
vor der dürre
gibt die stadt den halt
denn auch hier
vor ihren toren
nichts als sand

sand
sand
trockner sand
nichts als sand
wellig
dünig
wandernd

LES PÊCHEURS ET LA VILLE

dösend und lachend
hocken die frauen
im sand
die farbig und schwarzen
gewänder
umhüllen das schwarze gesicht
sie warten
auf väter und brüder
silhouetten am strand

in schmächtigen booten
bringen die fischer
den fang
und wippen den kahn weg vom meer
die fische von gestern
liegen auf brettern und netzen
der strasse entlang
wo sand und sonne sie trocknen
die dünen sind leer

ganz ferne im dunst
eines sandsturms
die stadt mit den zelten
und häuser dahinter
verträumt und geschäftig zugleich
wie zwei welten
am rande der wüste
wer ist hier arm
wer ist da reich?

der mensch lässt die zeit
vergehen
und kämpft gegen dürre und sturm
mit gleichmut
vom leben zum tod
Allah' u akbar
tönt es vom turm
der moschee
die sonne sinkt rot

DÉSERTIFICATION

euphorbien weinen weisses öl
aus ihre wunden
und halten dünen fern
von zelt und stadt,

sie sind die letzte nahrung
für die ziegen und die rinder
vor dem tode,
auch der mensch ist matt.

nomaden nehmen land
vor ort
und bauen zelte auf
und hütten,

mit wenig grün darum,
falls irgendwo ein tropfen wasser fliesst.
in geschlossenen kanistern,
um ja nichts zu verschütten,

rollen kinder
dieses gold der wüste
heim,
nach hause

und sie schauen auf zum himmel
in der irren hoffnung,
diese sonne
mache irgendwann mal pause.

doch sie tut es nicht,
die wolken ziehen dünn vorüber
und kein regen fällt.
am mittag bläst der rote wind.

eine stadt wächst dreifach
hier im jahre,
menschen hungern, darben, sterben,
in der pmi erschrickt ein kind,

denn nomaden werden hier geimpft
behandelt und beraten.
diese dürre macht sie sesshaft
in der not

und sie überleben mal
und werden umgewandelt,
nur in raten,
doch am ende steht ein andrer tod.

dieses ende
ist ein schicksal
ohne würde,
das die welt bereitet hält.

mit gleichmut
und mit Allah
tragen sie die bürde.
neben ihrem hause steht ein zelt

und das war und ist ihr leben.
wenn der himmel wasser bringt,
ziehen sie hinaus,
denn sie wollen doch nicht sesshaft sein.

bringt er's nicht,
so vegetieren sie dahin,
denn ihr innres licht ist aus.
und so träumen sie in sich hinein . . .

inch' Allah!

ABEND IN OUADI NAGA

schmale sichel
über schwarzen zelten am feuer,
ein weisses lachen im dunklen gesicht.
schatten huschen vor den dünen.

ich trinke süssen, gemünzten tee,
wasser fliesst über die hände
nach dem mahl im haus des präfekten,
lachen und herzlichkeit überall.

nur ungern verlass ich die weichen kissen
und schlüpf' in die schuhe.
im dunkeln
sucht ein kamel nach spärlichem grün.

glitzernde ruhe, einsame pracht.
das autolicht ortet die piste,
schwimmt durch den sand,
hinein in die schönheit der maurischen nacht.

MAURETANISCHE IMPRESSIONEN

zelte
im sandigen wind
und ein netz
gegen wandernde dünen,
von ziegen zernagt,
wie der letzte stachlige baum.
ein haus
aus brettern und blech,
schutz
in der dürrenden wüste.

die planstadt am meer
wächst unendlich
hinein in den dunst
und entgleitet
den menschen beinah.
ein gürtel,
mimosig und grün,
hält den wind ab
vielleicht
dann nach jahren.

die welt ist versammelt
und hilft,

denn die not ist gross
und die zeit ist vorüber,
da stolze nomaden,
herren der wüste,
besitzer von rindern
und schwarzen menschen,
besitzer von sandigen weiden,
alleine kämpften ums überleben
in trocknender sonne.
das dürfen sie nicht,

denn die welt ist versammelt
und hilft.

wem hilft sie denn nur?
sich selber und ihrem gewissen,
denn eisen, prestige und kupfer locken,
vielleicht auch das öl,
im erg noch vergraben
und unter der düne.
der krieg ist schon da,
und der sand wird zur bühne
des kampfes um macht
unsrer zeit.

sag, wie fern,
sag, wie weit
ist der mensch
von der selbstlosigkeit.

ALLEIN

ich steh' in der wüste
und warte: auf das singen der düne,
den knall, der nicht kommt.
nur stille,
sonne und gott.
als mensch ganz allein.

die sonne im sanddunst
gibt richtung,
der wind ist verebbt.
mein herz tönt zeitlos
im lautlosen raum.
nur mein sein.

wenn durst und hunger nicht wären,
könnt' ich vergessen,
dass ich bin.
ganz ohne anderes,
sichtbares leben
verliert mein leben den sinn.

gedanken und worte
hallen nicht wider,
verfliegen im raum.
hier finde ich freiheit
von dir und von mir.
ich atme kaum.

dann kommt ein sehnen,
mitmensch, nach dir.
ich brauche ein leben
in liebe und streit.
was wäre zu tragen
in einsamkeit?

was wollt' ich versuchen,
wem will ich entfliehn?
es zieht mich immer
zum menschen hin.

tschad 1980

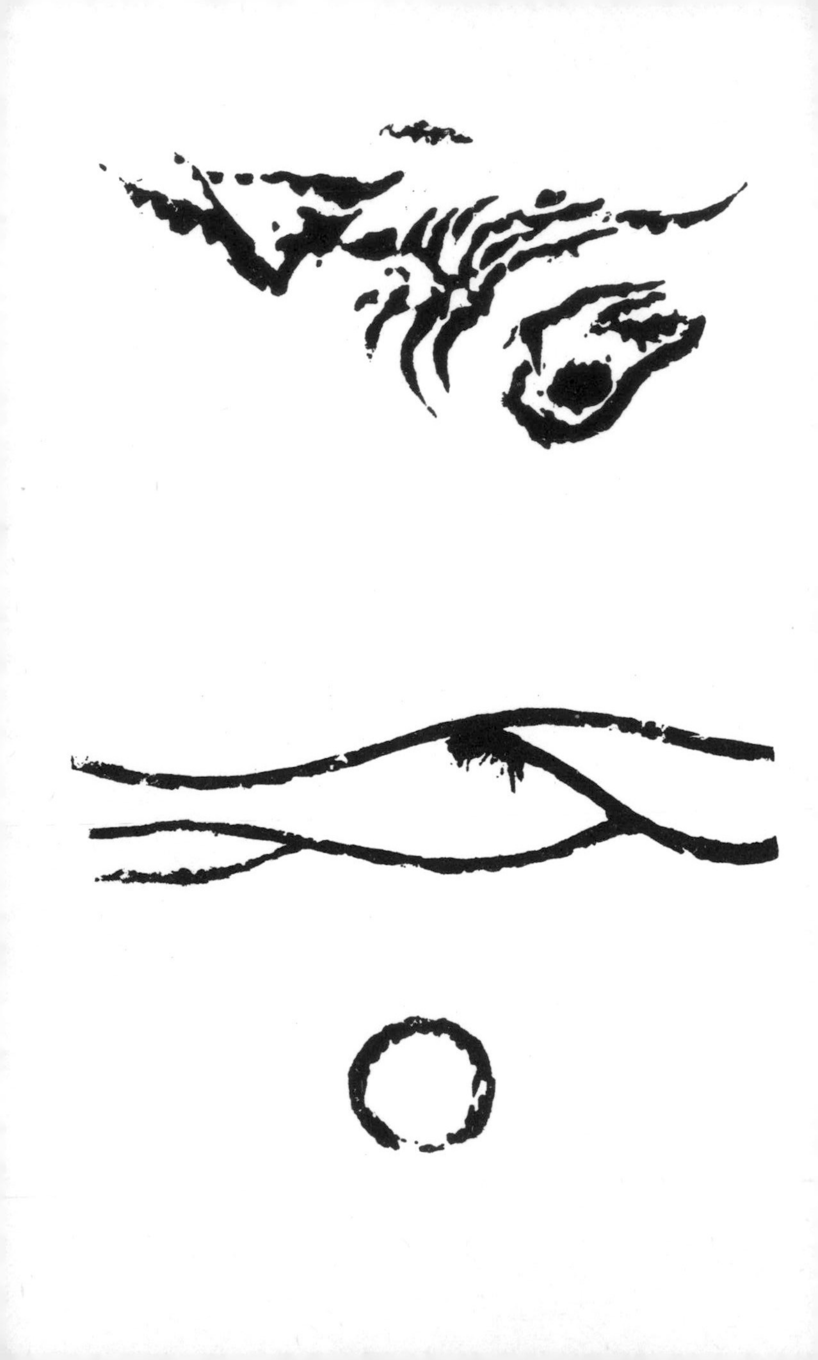

SONNTAGMORGEN
11–5–1980

noch kühle im garten,
vögel rufen brünstig,
in angst.
ein knall, ein schlag,
ein pfeifen und sausen,
vor unserm haus,
fern an der front,
zwischen bäumen
das mündungsgeräusch,

sich entfernend
ein ziehendes jammern,
dann stille.
ein beben weit weg,
dumpf und knapp,
vielleicht auf dem marché,
vielleicht im spital.
ein hagel von schüssen
in salven, ganz wie von selbst.

dann wieder die ruhe.
es pfeifen die vögel,
die sonne steigt langsam
und mit ihr die dampfige wärme.
der krieg,
ein schauspiel
mit lichtern des nachts
und symphonischen tönen.
ich schaue und lausche,

ich stille die blutung,
als ging's mich nichts an.
was kann ich denn anders
als schliesslich
gar freude empfinden
am singen der vögel, am feuer,
am klang (der geschosse)?
wie irr ist mein fühlen,
so irr wie die welt.

N'DJAMENA
14–5–1980

der chari
fliesst träge und niederwassrig
dem tschadsee zu,
die transall dröhnt gegen westen,
bald wird sie uns fehlen.

über chucas und farbigen bougains
kreisen wie geier
die heimischen vögel.
ein pfeifen,
ein einschlag,

als antwort der schlag der kanone.
mehmed verbeugt sich nach mekka,
ich sitz mit gekreuzten beinen im garten,
schwüle im haus, kein schutz vor granaten,
und sinne:

die fan und die fap und die fat
sind brüder vor gott und in Allah,
sie lieben die kinder, die frauen,
ihr dürftiges land,
bald wird es noch dürftiger sein.
was macht sie zu feinden?

wie schnell kommt der regen?
es werden häuser zerfallen,
kein freund wird die wunden verbinden.
ich schau in die bäume:
im dunst steigt die sonne,

mimosig fächert ein schatten dagegen,
wie die finger
von fatimas hand,
die vergeblich einhalt gebietet
den kämpfern.

LES FRANÇAIS SONT PARTIS

nun sind sie
unter sich allein,
kein weisser arzt
pflegt mehr die wunden.
die fap hat übernommen.

der bac ist voll
nach kousseri,
pirogen stacheln hin und her,
die menschen
sind beklommen.

die bleiben,
sehen angstvoll hin
auf unser kreuz,
den halbmond auch,
in weisser flagge.

wir sehn uns vor,
wir ducken uns
am wasser,
unter mauern,
erwarten die attacke.

es gibt nur wenig sicherheit.
bereitschaft,
vorsicht
und respekt
hält uns und sie am leben.

doch manchmal
fehlt's an alledem,
dann muss das schicksal sprechen.
ein schuss – wem galt er nur –
ging knapp daneben.

sie drängen sich
am tor,
bevor wir eingerichtet sind.
durchschuss der hand, des oberarms,
die mutter mit dem kind.

was soll denn unser tun,
die einz'ge flagge,
die noch schützt?
ich rechne mir die chancen aus,
wie ich den frieden find:

denn helf' ich nicht,
so leiden sie, verbluten und verenden
und helfe ich,
so nehm' ich teil,
das töten wird nie enden . . .

ENDLICH REGEN

der erste regen,
wie oft roch es danach,
nun ist er da.
die strasse dunstig trocken,
staub auf teer,
sie wird zu schlamm.
der wagen schliddert,
dreck klebt an den zehen.
der dampf verschwindet,
ein frischer wind fegt zwischen bäumen.

wie schön, dass dieser regen wässrig war
und nicht aus blei.
der frische wind verleitet mich zu träumen.

NACH DER OPERATION

noch duckten wir die köpfe,
nun trinken wir kaffee,
die schüsse tönen nurmehr weit.
ich hab' versucht, den arm zu retten,
auch wenn es ihn das leben kosten kann.
er traf die wahl,
ich bin werkzeug nur in Allah.
sein fremder mund und seine augen
fragten nochmals bittend,
dann schlief er tief.

der erste regen liess uns spät beginnen,
es kam die nacht.
nur unsre flagge
brachte meine helfer sicher heim,
durch alle posten.
alles ist gut.
noch duckten wir die köpfe,
nun trinken wir kaffee,
die schüsse
tönen nurmehr weit . . .

DER VORLETZTE TAG

ein obus fällt,
der sprung aus dem jeep,
ich liege in deckung,
ein mädchen schreit,

es jammert eine frau.
im hof der triage
knallt die granate.
splitter erreichen die bahren.

inch' Allah!
wir hofften sicher zu sein
in farcha,
weit weg vom geschoss.

ich nähe die wunden,
der schock ist geblieben.
die nacht kommt.
nun sind es noch mehr.

die frau mit weiten pupillen, verloren,
das kind der schwangeren lebt,
der drehschuss aus der kalaschnikoff
zerfetzte den arm.

nun amputier' ich
dem letzten das bein,
er würde sonst kaum überleben.
am morgen erst kommen pirogen.

noch hangen die infusionen am seil,
es fehlen mir klemmen, das wasser.
die sonne muss die keime töten,
sie wärmt auch die kämpfer,

während und damit ein krieg,
helf' ich oder helf' ich nicht,
sinnlos
weitermorden kann . . .

SCHATTEN-WORTE

über den eignen schatten springen?
welch ein wunsch,
vermessen,
klug?
schatten kommt von licht,
von hier, von dort,
oft ferne,
als ein produkt der sonne,
des mondes,
einer laterne.

er kann schlagend sein,
diffus,
gekernt,
halo-gespenstisch auf dem nebelmeer,
zerhackt auf höckergrund,
kann wachsen,
fliehen,
tanzen,
wie wir selbst.

ich liebe meine schatten,
hätte gern oft mehr,
als ausdruck vielen lichtes,
darin ich stehe
oder stehen möchte,
stehen muss,
um in dem rollenspiel,
das die gesellschaft
mir hat zugedacht,
gestützt zu sein,
und sei es nur
vom eignen schatten.

je nach dem winkel
dieses lichts
ist nun der schatten klein,
mal grösser, gross,
verzerrt, verformt,
mit langem körper,
kleinem kopf
oder ganz rund,
kompakt,
gleich unter mir.

mein sonnenschatten sagt mir,
wo ich steh' auf dieser welt:
im norden lang und fliehend,
steht über mir die heisse sonne,
ist er kurz und fest,
und fällt auf grüne,
rote oder gelbe erde er,
so sagt er mir,
bei was für menschen
ich mich finde.

er ist begleiter meines ich,
er schützt mich
vor der nacktheit,
hilft mir,
nicht blind
durch meine zeit
und meinen raum
zu gehn.
er will und darf und soll,
soll bei mir stehn.

ghana 1982

ilhas do cabo verde 1982

ST. JAMES FORT PRISON

ohne urteil eingesperrt.
vor hundert jahren ein gewölbe mit kanone,
wo heute zehn mal sieben leute sind,
wer weiss den grund?

durch die luke sehen sie das meer,
aus der freiheit bläst der wind.
offiziell sind sie gesund.

sie haben sich gewöhnt
ans vegetieren,
an die krätze, an die laus.
haut und knochen sind sie nicht,

sie sind ernährt, haben die bibel für die seele,
nur ihr innres licht ist aus.
«wärter tun nur ihre pflicht».

DIE REVOLUTIONEN FOLGEN SICH

langsam lichtet sich der dunst
über accras schwülen bögen,
die sonne bescheint zerfallende pracht.

wieder suchen neue herren,
wieder in des volkes namen,
mit gewehren ihre macht.

sag mir,
wird sich etwas ändern,
darf die hoffnung steigen,

werden nicht in jahren
– wieder in des volkes namen – neue herren
auf der alten sünden zeigen?

ALL POWER TO THE PEOPLE

«wait and see»
das bleibt für kleine leute,
«no more kalabule!»
preise steigen,
brot ist rar,
das nafta fehlt, das bier.
«all power to the people!»
die reichen werden wieder überleben,
gestern, morgen, heute,

die kleinen nie.

«MBOTE TATA, KENDA MALAMU»
(sei gegrüsst, mein freund)

eine afrikanische geschichte
erzählst du mir,
mischung aus traum
und wenig wirklichkeit,

für dich mehr als wahr.
könnt ich in deiner schwarzen haut
und deiner seele sein,
sie zu verstehn.

ILHAS DO CABO VERDE

klirrendes licht
über staubigen dächern,

regen verdunstet
knapp über dem boden,

wolken hängen im gebirge,
wie wäsche zum trocknen am seil.

gitter auch hier für durstende menschen,
die nicht fähig sind zu schweigen.

fünf einsam hungernde inseln
in windigem grün.

MIR IST ES ERGANGEN

ich verstehe
      mit meinen füssen

und begreife
      mit meinen händen

was ich erflogen
      ergangen
            und erfahren
                  habe

sehe ich nun klar?

der arzt-delegierte des ikrk

GENÈVE
CICR

LE DÉLÉGUÉ MÉDECIN CICR

über alle kontinente
flieg' ich hin,

bin überall
und nirgends zuhause,

bekämpfe die angst vor dem feind,
den groll, die tortur,

verbinde wunden,
die kriege schlagen,

beschwöre die grossen
zum schutze der kleinen,

verkaufe die gelassenheit,
die gleichmut vor dem bösen.

wo soll ich nur bleiben?
mein schlager «achte den nächsten»

ist nicht gefragt.

DORT UND ZUHAUSE

wo ist mein zuhause,
ist es dort, wo ich wohne,
dort, wo ich bin,
dort, wo wärme mir wächst,
meine kinder sind
und wohl sich fühlen,
wo eine frau mich erspürt?
ein wunsch, ein fantasma?

wo wohn' ich denn nur,
wo ist denn mein ort?
in vietnam, in chile,
in beirut, la paz?
mit menschen im congo,
für die ich wer bin,
ja, bin ich denn was?
wer sind denn die meinen?

es sind die einen,
es sind die andern,
alle, die mich verstehen,
mich leben lassen,
die einsam oft wandern
und nähe brauchen,
gefühle erwidern,
die lieben statt hassen.

lasst mich nur gehn.
hier kann ich bestehn . . .

VERGESSEN?

wie schlimm ist es
nicht zu vergessen,
was ich gesehen,
erlebt und erfahren?
vergessen
macht nicht ungeschehen,
auch nicht nach jahren:
die narben des vietcong,
den schrei der kinder
unterm napalm ihrer freunde,
den blutigen einriss
eines stricks am handgelenk,
das ulkus an vagina oder penis
vom elektroschock,
hungerödem und knochenfrass,
die pest, den typhus, cholera,
das brennend stürzende spital.

vergessen
macht nicht ungehört
das wimmern eines waisen,
den einschlag der rakete
gleich im zimmer nebenan,
das zynische lachen
eines wärters bei der tortur,
nicht ungeschehen
die schüsse aus dem hinterhalt,
das loch, genannt carcel del pueblo.

ich seh' verbannte chollas
aus dem altiplano
in feuchten yungas schwerer tropen,
ich seh' katanger,
acharniert im angriff
in den eigenen tod
und spür den schicksalsschlag
des nachbarn mit dem tumor,
den tod des ungebornen kindes
einer jungen, sehnsuchtsvollen frau
mit weiten augen voller trauer,
den treuebruch des freundes,
den zwang zum töten,
den ein mann empfand,
der keinen ausweg sah,
den exitus des alten patienten,
noch nicht erwartet,
vielleicht provoziert.

soll ich denn schönes
auch vergessen?:
den freudenblick der mutter
auf ihr noch ganz verkästes kind,
die kalten füsse und den warmen schweiss
im anblick blau und rosa scheins
am anapurna,
das weiche bett
nach wochen steinigen lagers,
das wispern des gebetes
aus der fahne –
es steht im wind
und wirkt im raum –

das hochgefühl der liebe,
der gelungenen operation,
das wunder eine heilung,
das placet des ministers,
ein ja des intendente,
den handschlag
eines eigenen sohns?

erlebtes leben lebt in mir
bewusst im sein, gestern und heute
und auch morgen.
ich will
erfahrenes ständig
in mir tragen
und es umfassen
mit verstehen,
dann werde ich geprägt sein,
sei's von schmerz und plagen,
sei es von hohem, schönem
und allem,
was mich führt hinan
zur harmonie,
die mir dann gibt
die schau des ganzen,
meines lebens.
dann beuge ich mein knie
und nehm' dies leben dankbar an.

vergessen?
was, warum und wann?

«QUAND IL N'Y A QUE L'AMOUR»

wenn auch die letzte hoffnung nicht mehr ist
auf heilung

wenn du tage und minuten zählst
zum ende

und dich schmerzen hindern am denken
und am beten

wenn dir der feind den gnadenschuss nicht gibt
aus rache

aus der tortur du keinen ausweg siehst
zur flucht

wenn du verraten bist vom partner
in deiner treue

der freund dich nicht verstehen will
aus neid

wenn du dich selber nicht mehr kennst
in irrem tun

dann bleibt
das wissen um die liebe

mit ihr allein dreht diese welt
und wird bestehen

mag vieles
vor die hunde gehen

wenn nur noch liebe ist
so ist doch sie

quand il n'y a que l'amour . . .

NACHWORT

Als Delegierter des Internationalen Komitees vom Roten Kreuz (IKRK) leistete Dr. med. Eduard Kloter, Landarzt im Entlebuch (1956 bis Juni 1985), eine grosse Anzahl von Einsätzen in Ländern der Dritten Welt, dort, wo entweder blutiger Krieg wütete oder Diktaturen die Menschenrechte mit Füssen traten. So war Eduard Kloter 1966/67 in Vietnam tätig, im gleichen Jahr in Rwanda (Kongo – Kivu), hierauf in Biafra, 1971 in Bolivien, in den Jahren 1973 und 1975 in Chile; ferner in Argentinien, im Libanon (1975 und 1978/79), in Mauretanien, im Tschad, in Ghana (1982), auf den Kapverdischen Inseln und zuletzt, im Jahr 1983, in Malaysia.
In schwierigen, gefahrvollen Umständen nahm er Notoperationen vor. Die in Lagern und Gefängnissen festgehaltenen politischen Hälftlinge erhofften sich von ihm Milderung ihres traurigen Loses. Um dies zu erreichen, bedurfte es in hohem Mass diplomatischen Feelings im Umgang mit staatlichen Stellen, die über «Menschenrechte» ihre eigene Auffassung vertraten.
Was Kloter als Arzt-Delegierter des Internationalen Komitees vom Roten Kreuz in all den Ländern, die er besuchte, an Grässlichem mitansehen musste, was er in der Welt brutaler Machtausübung erlebte und erlitt, hat er zumeist am Ort des Geschehens in stenografischer Eile tatsachengetreu festgehalten. Konnte er noch schweigen vor dem Abgrund menschlichen Elends? Zu sehr bewegte der leidende Mitmensch sein Inneres und zwang ihn zu schreiben. Er fand so zur lyrischen Aussage, zu jener, die ihm in seiner Situation als die geeignetste erschien. Wie er dies versteht, will er im folgenden selber darlegen. Er schreibt: *«Darf man, darf ich ein Geschehen und Erleben, das tief bewegt, 'nur' in lyrischer Form beschreiben? Sollte ich nicht besser zur Prosa greifen, um Anklage zu erheben? Bedeutet Rhythmik nicht Musik, sind Reime nicht Blumen auf ein Grab, Balsam auf Wunden bei soviel Elend, Unerhörtem, Grausamem, das Menschen Mitmenschen antun? Für mich ist dies der einzige Weg, mein Erleben zu verarbeiten und mitzuteilen, um so neuen Mut zu weiterem Tun mit Wort und Skalpell zu finden, aber auch die*

einzige Form, das Gebot des Schweigens im einzelnen nicht zu verletzen und damit Vertrauen zu erhalten auch unter Gegnern. – Sollen, Wollen, Dürfen, Können; zwischen Willen und Möglichkeit bewegen sich Denken und Handeln, hier verdichtet zu lyrischem Text, zu einem Schrei, zu einer Besinnung, spontan meist entstanden bei Haftstättenbesuchen, in Gefängnissen und Lagern, dann nach Momenten freudigen Gelingens, der Entspannung, nach der Operation, nach dem Schwinden der Angst oder später im Überdenken der Einsätze als Arzt und Delegierter des IKRK von Südostasien über Afrika und den Nahen Osten bis nach Südamerika.»

«Diese Texte möchten vermitteln», schreibt Kloter weiter, *«zwischen uns Satten und den Leidenden, den Hungernden, den Flüchtenden, den von Menschen unserer Zeit Gequälten und Verfolgten mit ihren vielen Namen: Kriegsgefangene, PG, Prisoners of War, Détenus politiques, Refugiados, Displaced Persons, Detenidos, Subversivos, Incomunicados, Irrecuperables ... einfach Menschen, Zeitgenossen. Ich versuche, durch beschreibendes Festhalten und so auch Entäussern, das oft unvollständige Gelingen von uns Delegierten in der Hilfe an die Schwachen gegen die Macht zu akzeptieren, damit wir auch im Unvermögen und in der Einsamkeit bestehen können. Ich schreibe also zur Bewältigung des Alleinseins, schreibe zum Erkennen und Abstecken der Grenzen, benutze das Schreiben als Flucht nach aussen, als Mitteilung nur, als Weg zur Genesung von den Folgen der Erbitterung, Überanstrengung, Angst, des Grauens, des enttäuschten Staunens über die Menschen, vor allem aber als Hoffnung.»*

Eduard Kloter musste vom Unsagbaren schreiben. Er musste von der namenlosen Not künden. Mit wenigen Worten wirft er schlagartig Licht in die traurigen sozialen und politischen Verhältnisse so mancher Länder, deren zahllose Opfer Hilfe brauchen. *«Wo Gefahr ist, wächst das Rettende auch»* – dieses oft zitierte Wort Friedrich Hölderlins lässt sich auf Eduard Kloters Einstehen für eine von Hass und Brutalität freiere Welt anwenden. Seine Gedichte haben wenig mit sogenannter «schöner Literatur» zu tun, sofern man darunter unverbindlichen Ästhetizismus versteht. Sie sind dennoch von echt poetischem Geist erfüllt. Als ein Dokument dieser brutalen Zeit sind sie ein dringlicher Appell an das Weltgewissen, an all jene, die in Selbstgenügsamkeit dahin leben. In ihnen pulsiert die Hoffnung, dass die Not gewendet werden kann, und diese Möglichkeit besteht, solange noch Liebe in den Herzen schlägt. Die Liebe ist es, die in Eduard Kloters Lyrik lebendigen Ausdruck findet – als einzige Raison d'être unseres Lebens, unseres Menschseins.

Alphons Hämmerle

ANMERKUNGEN

8 bien hôa: *stadt westlich saigon*
9 papageienschnabel: *kampfgebiet an der grenze zu cambodga*
9 eisernes dreieck: *kampfgebiet westlich saigon*
10 pleiku: *stadt im zentralmassiv*
14 irrecuperable (spanisch): *vom regime abgeschriebener gegner*
16 lugar de detención: *haftstätte («ort der absonderung»)*
18 universidád y estadio: *uni und stadt-stadion*
19 dawson: *insel zur absonderung in der magellanstrasse*
19 camerones: *umkleideräume unter den beton-stehrampen*
19 vip: *v*ery *i*mportant *p*ersons: *leute mit namen*
20 rosario: *stadt in argentinien am paraná*
20 P 8: *schnellstrasse von buenos aires nach sta. fé*
20 girasol: *sonnenblume*
20 de hombre a hombre: *von mensch zu mensch*
21 ¡oida!: *hör zu*
22 fusillades falsas: *vorgetäuschte exekutionen*
22 paloma: *die papageienschaukel (torturmethode)*
23 detenida: *die politisch internierte*
24 carcel: *stadtgefängnis*
24 los angeles: *stadt in süd-chile*
25 población: *ärmlicher stadtteil*
25 el golpe del once del sept.: *pinochets staatsstreich vom 11. sept. gegen allende*
25 dina (*d*ipt. de *i*nvestigación *n*acional): *geheimpolizei*
25 tres alamos: *torturiergefängnis*
25 das komitee (de la paz): *kirchliches hilfskomitee*
25 todo listo: *alles bestens in ordnung*
25 no hai problemas: *es gibt keine probleme*
28 temuco: *geburtsstadt nerudas in süd-chile*

28 chin-chin: *staatsgefängnis in süd-chile*
28 junta: *revolutionsregierung*
28 il velero fantasma: *geisterschiff aus einem chilenischen märchen*
28 mapucho: *fluss durch santiago de chile*
28 compañero: *kamerad, genosse*
31 araucanos: *autochtone bevölkerung süd-chiles, noch ca. 200 000, von allen regimen seit der europäischen landnahme bedrängt*
31 fueginos, unos: *vor kurzem ausgerottete feuerländer*
32 stranger in the night: *der fremde einer nacht (schlager)*
33 sucre: *frühere hauptstadt boliviens; der sucre: silberberg, heute nur noch minimale silberausbeutung*
33 oruro: *zinnstadt boliviens*
33 illampu: *sechstausender in bolivien*
36 nichte arafats: *umschreibung für plo-kämpferin*
36 iman sadr: *heute verschollenes geistiges oberhaupt der schiiten im libanon (ayatollah)*
36 tal satar: *verschanztes flüchtlingslager der palästinenser in beirut*
37 place des canons: *marktplatz in der altstadt in der nähe des serails (regierungspalastes)*
37 beyap: *beyrouth airport*
37 saika: *christliche milizgruppe, angeblich syrienfreundlich*
40 stand-by: *warte-stellung*
40 hamra (= die rote): *gleichsam die bahnhhofstrasse von beirut*
40 tyr: *stadt in süd-libanon*
40 nabatíye: *gebirgsstadt im libanon*
40 haifa: *stadt in israel*
40 golanhöhen: *fortsetzung des anti-libanongebirges zwischen israel und syrien*
40 el fatah-land: *stammland der plo*
41 maroniten: *christliche bewohner libanons*
42 litani fluss: *fluss im süd-libanon*
42 damour: *hartumkämpfte und zerstörte stadt nahe beirut*
42 «. . . de voiture, can you read . . .»: *funkaufruf aus dem auto*
44 haabda und el shatila: *palästinensische lager im libanon*
48 euphorbien: *stachliges wolfsmilchgewächs mit klebrigem, angeblich zu öl wandelbarem saft*
50 pêcheurs: *fischer*
50 la ville: *hier das zur stadt gewachsene dorf nouakchott*
51 Allah u akbar: *gott, Allah ist der grösste*
52 désertification: *fortschreiten der wüste, ver-wüstung*
53 pmi (*p*rogramme *m*aternel et *i*nfantil): *mütter- und kinderpoliklinik*
54 inch' Allah: *gottergeben, in gottes namen*
55 ouadi naga: *verwaltungsort in der mauretanischen wüste*
56 mimosig: *aufforstung eines grüngürtels mit der mimose prosopis chilensis zur stabilisierung der dünen*

57 erg: *ausgedehnte wüsten-senke*
64 n'djamena: *hauptstadt des tschad, früher fort lamy*
64 chari: *grenzfluss gegen kamerun, aus logon und chari von n'djamena zum tschadsee*
64 transall: *viermotoriges hochdecker-turboprop-lastflugzeug*
64 chuca: *chucaranda*
64 bougain: *bougainvillier*
65 fan: *force de l'armée nationale*
65 fat: *force de l'armée du tchad*
65 fap: *force de l'armée populaire*
65 fac: *front de l'action commune*
= gegnerische kräfte unter sich bekämpfenden führern, die eigentlich im gunt (= gouvt. de l'union nationale transitoire) zusammengeschlossen waren
66 les français: *neutrale armeekräfte der früheren kolonialmacht zum schutze von flugplatz und flugplatzspital*
66 les français sont partis: *rascher abzug der franzosen mit ihren logistischen mitteln nach kamerun*
66 bac nach kousséri: *die vom französischen militär betriebene fähre nach dem neutralen kamerun*
70 obus: *franz. wort für minenwerfergranate*
70 triage: *einstufen der behandlungsdringlichkeit von verletzten*
70 farcha: *dorf im norden von n'djamena, eigentlich stadtteil*
76 st. james fort: *altes englisches, von den portugiesen erbautes küsten-fort*
77 accra: *hauptstadt von ghana (früher «goldküste»)*
78 power to the people: *alle macht dem volk*
78 wait and see: *abwarten und tee trinken (mal sehen)*
78 no more kalabule: *keine krummen geschäfte mehr (kala, ashanti-sprache)*
78 nafta: *benzin*
79 mbote *(grüss dich)* tata *(mann, vater),* kenda malamu *(gehab dich wohl) – in li-ngala sprache, kongo*
80 ilhas do cabo verde: *früher portugiesische sklaveninsel-gruppe vor dakar im atlantik (sahel)*
84 délégué médecin cicr: *arzt-delegierter des internationalen komitees vom roten kreuz (genf)*
85 fantasma: *träumerei, ein traumgesicht*
86 carcel del pueblo: *«volksgefängnis» der tupamaros und anderer regierungsfeindlicher bewegungen*
87 chollas: *ausdruck für inka-frauen*
87 altiplano: *hochland von bolivien, über 3000 m*
87 yungas: *ins tiefland reichende tropische täler aus den cordilleren*
87 katanger: *kongolesische abtrünnige aus der kupferprovinz*
87 anapurna: *nepalesischer achttausender*
88 intendente: *provinzstatthalter*

TAFEL DER GÖNNER

Autor, Herausgeber und Cantina-Verlag danken
allen Gönnern herzlich:

Regierungsrat des Kantons Schwyz
Regierungsrat des Kantons Uri
Regierungsrat des Kantons Zug
Stadtgemeinde Zug

GSMBA Sektion Innerschweiz, Luzern
Kunstverein Amt Entlebuch
Lions Club Wolhusen-Entlebuch
Luzerner Kantonalbank, Luzern
Sarna Kunststoff AG, Sarnen

Benedetta Bonomo, Zürich
Alois Imholz-Schnellmann, Schattdorf
Hans Kaufmann, Entlebuch
Otto Omlin, Luzern
Frederike und Hans Schilter, Goldau
Marianne und Franz Zemp-Theiler, Hasle

Ungenannt aus dem Kanton Luzern

INHALT